Ilustraciones: Zapp
Texto en español: María Mercedes Correa

© 2003 Tormont Publications Inc., Montreal
www.tormont.com

Canadä

Agradecemos al Ministerio del Patrimonio canadiense el
apoyo otorgado en el Programa de Ayuda al Desarrollo
de la Industria Editorial.

Depósito legal – Bibliothèque nationale du Québec, 2003.

Impreso en China

La hora de los CUENTOS

TORMONT

Contenido

LA
Bella
Y LA
BESTIA

Érase una vez un rico mercader que tenía tres hijas. Las dos hijas mayores eran egoístas. Bella, la menor, era muy dulce y amable.

Cierto día, todos los barcos del mercader, a excepción de uno solo, naufragaron durante una tormenta.

El mercader, ahora pobre, quiso ir a ver qué quedaba de su fortuna. Sin embargo, la mala suerte quiso que se perdiera en medio de otra tormenta. En la distancia, vio brillar una luz y se dirigió hacia allá.

Poco a poco empezó a distinguir la forma de un palacio. Al llegar, la puerta se abrió sola. El mercader entró pero no vio a nadie. Había una mesa servida para una persona. Él se sentó y comió. Luego vio una cama y se acostó a dormir.

En la mañana, el mercader no encontró a quién agradecer su hospitalidad y decidió irse. Al salir, cortó una flor de un rosal. "Se la llevaré a Bella", dijo.

¡En ese momento escuchó un rugido tremendo!

Una bestia enorme apareció. "¿Cómo te atreves a robarme después de que te ofrecí techo y comida?" rugió la bestia. El mercader, tembloroso, respondió: "Respetado señor, yo sólo quería llevarle una rosa a mi hija menor".

"Mi nombre es Bestia", gruñó la criatura. "Te perdonaré la vida si una de tus hijas viene por su propia voluntad a vivir conmigo".

Al llegar a su casa, el mercader relató la terrible
historia y Bella se ofreció a ir.

Bella y su padre volvieron al palacio. Aunque no se veía a nadie, una suculenta cena estaba servida en la mesa.

Cuando empezaron a comer, Bestia apareció.

"Tu padre debe irse mañana y no puede volver jamás".

El padre de Bella se fue al otro día. Su hija estaba triste. Poco a poco, la muchacha empezó a encariñarse con Bestia, pues era muy amable con ella.

Un día, Bestia le dio un espejo mágico para que viera a su padre.

A través del espejo, Bella vio
que su padre estaba enfermo.
"Ve a visitarlo", le dijo Bestia, al
tiempo que le entregaba un anillo.
"Póntelo y estarás en tu casa.
Cuando quieras regresar sólo
debes quitártelo".

Cuando Bella se puso el anillo, apareció inmediatamente junto a su padre. La muchacha se quedó atendiéndolo varios días y olvidó la advertencia de Bestia. "Si te quedas más de una semana, moriré". ¡Ya había pasado una semana!

Bella se quitó el anillo rápidamente y apareció en el palacio. De inmediato corrió al jardín, donde encontró a Bestia, agonizante. "¡No te puedes morir! ¡Yo te amo!" dijo Bella, llorando. "Quiero casarme contigo".

De repente, Bestia se convirtió en un joven príncipe. "Bella, amor mío. Has roto el hechizo", dijo el príncipe. "Gracias a tu amor verdadero, pude volver a ser lo que era antes". Los dos jóvenes se casaron y vivieron muy felices en el palacio.

LA HILANDERA

Érase una vez un pobre molinero que tenía una hija muy hermosa. Un día, el rey lo mandó llamar, pues no había pagado sus impuestos. Como el hombre no tenía dinero, le dijo al rey: "Mi hija sabe hacer hilos de oro con la paja".

Aquella noche, el rey llevó a la muchacha a una habitación llena de paja. "Toda esa paja debe estar convertida en hilos de oro cuando amanezca", dijo el rey. "De lo contrario, te castigaré a ti y a tu padre". La joven no sabía qué hacer.

De repente, se abrió la puerta y entró un hombrecillo extraño. "¿Por qué lloras?", preguntó. "Porque
no sé hilar la paja para que convierta en oro",
contestó ella. "Dame tu collar y yo te ayudaré", dijo
el hombrecillo. La hija del molinero aceptó.

Al día siguiente, al ver todo ese oro, el rey le pidió a la muchacha que hilara más. Por la noche, el hombrecillo volvió a encontrar a la joven llorando. Esta vez, le ofreció hilar la paja a cambio de su anillo de oro.

El rey se dejó llevar por la codicia y quiso que la muchacha siguiera hilando más paja para convertirla en hilos de oro. El hombrecillo regresó, pero la muchacha ya no tenía nada que ofrecerle. "Debes darme a tu primer hijo", dijo el hombrecillo.

Sin poder encontrar otra solución, la muchacha tuvo que aceptar. Al día siguiente, el rey estaba tan feliz con todo el oro que decidió proponerle matrimonio a la hilandera. Un año más tarde, la nueva reina tuvo una hija.

Un buen día, el hombrecillo se presentó ante la reina. "Debes darme lo que me prometiste", dijo. La reina rompió a llorar amargamente. "Si logras adivinar mi nombre en tres días, podrás quedarte con la niña", añadió el hombrecillo.

La reina pasó la noche haciendo una lista de todos los nombres que conocía. Al día siguiente, se la leyó al hombrecillo, pero él decía siempre: "No, así no me llamo yo".

La reina mandó a sus emisarios a que buscaran nombres nuevos.

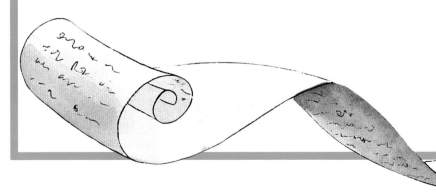

Al caer la noche, uno de los emisarios regresó
con una historia muy extraña. "Vi en el bosque a
un hombrecillo bailando en torno a una hoguera
y cantando:

'La reina perderá, pues nunca sabrá que soy el gran Rumpelstiltskin'".

Esa noche, la reina le preguntó al hombrecillo: "¿Acaso te llamas... Rumpelstiltskin?" Al escuchar esto, el hombrecillo se llenó de rabia y se puso azul. Luego pateó el piso tan fuerte que le abrió un hueco.

Rumpelstiltskin desapareció por el hueco que abrió en el suelo y nadie lo volvió a ver jamás. La reina, por su parte, vivió feliz para siempre con su esposo y su preciosa hijita.

La sirenita

Había una vez una sirenita llamada Coralina,
que vivía con su padre, el rey del océano, en
un palacio suntuoso bajo el mar.

Coralina tenía una voz hermosa y a todas las criaturas del mar les encantaba escucharla cantar.

Cuando Coralina cumplió quince años, su padre le dio permiso de ir a la superficie del mar, para ver el cielo y el sol. Nunca se había sentido tan feliz. De repente, un barco apareció en la distancia.

A bordo del barco se escuchaba a los marineros desearle un feliz cumpleaños a su capitán, que era un príncipe muy atractivo. Aquella noche de celebración hubo fuegos artificiales a bordo. De repente, se desató una fuerte tormenta.

Unas temibles olas negras hicieron naufragar la embarcación. Coralina salvó al príncipe antes de que se hundiera en el fondo del mar y lo llevó a la orilla. Mientras el príncipe seguía inconsciente, la sirenita le cantaba con su voz melodiosa.

De repente, una mujer muy bella apareció en la playa.

Coralina se escondió. Cuando el príncipe abrió
los ojos, todavía con la música de la sirenita
resonando en su cabeza, pensó que esa era la
mujer que lo había salvado y se enamoró de ella.

"Yo no te salvé", dijo la mujer, "pero me alegra haberte encontrado". Coralina regresó muy triste a su palacio. Se había enamorado del príncipe y temía que ya nunca más volvería a verlo. Sin embargo, se le ocurrió una idea.

Coralina decidió ir a ver a la bruja del océano.
La hechicera se rio con malicia al ver a la
muchacha. "Si quieres convertirte en humana y
no volver a ser sirena nunca más, debes darme
tu voz", dijo.

Coralina aceptó las condiciones de la bruja y se llevó un frasco con un líquido negro. Nadó hasta la playa y allí se bebió la poción mágica.
El príncipe estaba caminando frente al mar cuando vio a la hermosa muchacha.

El príncipe invitó a Coralina a quedarse con él todo el tiempo que quisiera. Era muy amable con esta chica extraña que no podía hablar. La trataba como si fuese su hermanita, pues en realidad él estaba enamorado de otra persona.

Cierto día, la mujer que había encontrado al príncipe en la playa fue a visitarlo. En ese momento, Coralina comprendió que la mujer y el príncipe estaban profundamente enamorados. Eso la hizo sentirse muy sola y descorazonada.

Coralina se adentró en el mar en una barca de remos
para verse con sus hermanas. "¡Coralina, hemos
venido a salvarte!", le dijeron. "Tenemos un cuchillo
encantado. Si matas al príncipe antes del amanecer,
podrás convertirte de nuevo en una sirenita".

Al amanecer, Coralina estaba a bordo del nuevo barco del príncipe. Incapaz de hacerle daño, tiró el cuchillo por la borda. De repente, sintió que se elevaba por los aires. La sirenita se convirtió, así, en un hada que ayuda a las personas de buen corazón.

Los cisnes salvajes

É rase una vez, un rey viudo que tenía once hijos y una hija llamada Elisa. Todos los hermanos se querían mucho.

Un día, el rey se casó con una mujer muy
hermosa, sin saber que era realmente
una bruja.

La nueva reina no quería a los hermanos y trató de indisponer al rey contra ellos diciendo mentiras. Un día, reunió a todos los príncipes y los convirtió en cisnes. Como eran príncipes, cada uno de ellos tenía una corona de oro.

La malvada reina le dijo al rey que los príncipes habían huido. Luego mandó a Elisa a vivir con una familia de campesinos, con la excusa de que debía estar con otros niños. El rey aceptó a regañadientes.

Elisa cumplió quince años y el rey decidió que ya era hora de mandar a buscarla. Cuando llegó al castillo, la muchacha estaba tan mal presentada que la reina convenció al rey de que esa no era su hija. "¡Llévensela!", ordenó el monarca.

Elisa huyó al bosque y allí se encontró
con una anciana. "¿Ha visto usted a once
príncipes vagando?", preguntó esperanzada.
"No, mi querida niña, pero he visto a once cisnes
con coronas de oro en la cabeza", respondió
la mujer.

Elisa corrió a la orilla de un lago y esperó. Al atardecer, vio a los once cisnes salvajes con sus coronas. Al principio se asustó y se escondió detrás de una roca. Uno a uno, los cisnes se fueron posando en la orilla.

Al tocar el suelo, los cisnes recobraban su aspecto humano. "¡Queridos hermanos, soy yo, Elisa!", gritó.

Todos se reunieron en torno a la hermana que hacía tanto tiempo no veían.

Los hermanos le explicaron que
el hechizo de la bruja los hacía ser
cisnes de día y humanos de noche.
A la mañana siguiente, se llevaron
volando a su hermana en un gran
pedazo de tela hacia una cueva
secreta.

Esa noche, Elisa tuvo un sueño. "Para romper el hechizo, debes recoger ortigas de una tumba", le dijo un hada. "Con ellas tejes once camisas. Luego se las entregas a tus hermanos. Sin embargo, no puedes hablar ni reírte antes de acabar".

A la mañana siguiente, Elisa comenzó a sacar lino de las ortigas. "¿Qué haces?", le preguntaban sus hermanos, pero ella no podía hablar.

Era algo tan misterioso que los hermanos
comprendieron que debía ser mágico.

Cuando la gente vio a Elisa recogiendo ortiga de las tumbas, la acusaron de brujería. La muchedumbre enfurecida empezó a gritar: "¡Quemen a la bruja!" De repente, en el cielo aparecieron once cisnes. Elisa les lanzó las camisas.

Los cisnes se convirtieron en príncipes. El rey del nuevo reino donde vivía Elisa quedó tan impresionado con la generosidad y el amor de la muchacha que se enamoró de ella. Finalmente, todos podrían ser felices.

El traje nuevo DEL EMPERADOR

Hace mucho tiempo vivía un emperador muy vanidoso, que prefería comprar ropa fina a gobernar su país. El emperador gastaba la mayor parte del dinero de los impuestos comprando espléndidos trajes nuevos.

Cierto día, llegaron dos estafadores a la ciudad y decidieron sacar partido del gusto exagerado del emperador por la ropa. "Tengo un plan con el que nos haremos ricos en poco tiempo", dijo uno de ellos.

"Somos tejedores de un país lejano, donde se producen unos trajes hermosísimos", le dijeron al emperador. "Los colores y los diseños de nuestras telas son muy bellos, pero son invisibles para la gente tonta o inepta para su cargo".

El emperador consideró que sería útil saber quién era tonto y quién no.

Les dio dinero a los hombres, además de seda e hilos de oro para que empezaran a tejer. Sin embargo, los estafadores no tenían la menor intención de tejer nada.

Un tiempo después, el emperador
quiso saber cómo iba el trabajo.
Debido a las cualidades mágicas
de la tela, el emperador tenía
miedo de ir a verla por sí mismo,
así es que decidió que era mejor
mandar a su primer ministro.

"Él no es tonto y ciertamente no es inepto para su cargo", pensó el emperador. "La tela no será invisible para él". Entonces mandó llamar al primer ministro y le pidió un informe detallado sobre la elaboración de la tela.

Cuando el primer ministro llegó al taller, los estafadores ya tenían preparado su número. Movían los brazos como si estuvieran tejiendo y describían la belleza de la tela.

¡El primer ministro no veía nada! "¿Me habré vuelto tonto?", pensó.

El primer ministro regresó al palacio.
"Su excelencia", dijo solemnemente, "nunca había visto nada igual". El emperador quería saber cómo era la tela. "Ah, su excelencia, los colores son exquisitos. ¡Esos tejedores son unos maestros!"

Por fin, el emperador decidió ir a ver la obra con sus propios ojos. Los estafadores le mostraron la tela y le describieron sus maravillas.

El emperador no lo podía creer. La tela era invisible.
Incapaz de admitirlo, dijo: "¡Maravillosa!"

El día de la prueba del traje, todos los cortesanos decían que la tela era estupenda, aunque no veían nada. "Su majestad debería lucir el nuevo traje en la procesión de mañana", dijo alguien.

Al día siguiente, los falsos tejedores le ayudaron al emperador a vestirse. "¿Todo está bien?", les preguntaba nervioso, al mirarse en el espejo y no ver más que su ropa interior. "Perfectamente", decían ellos, con una sonrisa de oreja a oreja.

Aquel día, en el desfile, todo el mundo admiraba la calidad y la belleza del traje. De repente, un niño exclamó: "¡Pero si está desnudo!" La gente empezó a reírse. Sin embargo, el emperador nunca quiso admitir que se había portado como un tonto.

RAPUNZEL

Había una vez un matrimonio pobre que desde hacía mucho tiempo quería tener hijos. Finalmente, su deseo se hizo realidad. La mujer tenía unos antojos incontrolables de comer lechugas del huerto vecino, y el marido le llevó algunas.

El huerto pertenecía a una bruja. Al ver que le estaban robando sus lechugas, le dijo a la pareja: "Llévense todas las lechugas que quieran, pero el bebé será mío cuando nazca". Los esposos no tuvieron más remedio que aceptar.

Tan pronto nació la niña, la bruja se la llevó a su casa y le puso el nombre de Rapunzel.

La niña creció y pronto se
convirtió en la muchacha
más hermosa del reino.
La bruja decidió, entonces,
llevarla a un lugar donde
nadie pudiera verla.

La bruja escondió a Rapunzel en una torre sin puertas. Cuando la bruja iba a visitarla, le decía: "Rapunzel, Rapunzel, deja tu trenza caer". La chica dejaba caer por la ventana su larga trenza rubia, para que la bruja subiera por ella.

Cierto día, un apuesto príncipe pasó por los alrededores. A lo lejos, oyó el canto de Rapunzel. Atraído por la voz, llegó hasta la torre, pero no encontró la manera de entrar.

De repente, el
príncipe escuchó que
una bruja se acercaba y
fue a esconderse detrás
de unos arbustos.

La bruja gritó: "Rapunzel,
Rapunzel, deja tu trenza caer".
La trenza cayó al suelo y la
bruja subió a la torre.

Cuando la bruja se fue, el príncipe dijo: "Rapunzel, Rapunzel, deja tu trenza caer". Así, llegó hasta arriba. Al principio, la muchacha se asustó, pero el príncipe era tan amable que Rapunzel prontó se enamoró de él.

Al regresar, la bruja encontró a Rapunzel y al príncipe juntos. Llena de rabia, dejó al príncipe ciego. A Rapunzel le cortó todo el pelo y la mandó a un desierto muy lejano.

El príncipe vagó por los bosques durante varios meses, ciego y llorando. A quien se cruzara por su camino le preguntaba si había visto a una muchacha llamada Rapunzel. Pero nadie le daba razón de su paradero.

Un día, después de muchos meses de viaje, el príncipe escuchó a lo lejos una canción triste pero hermosa. Reconoció la voz de inmediato y corrió hacia el lugar, llamando a Rapunzel.

Rapunzel corrió a abrazar a su amado y lloró
de felicidad. Las lágrimas cayeron en los ojos
del príncipe y algo muy extraño ocurrió: ¡el
príncipe recuperó la vista! El hechizo de la bruja
se había roto.

"¿Quieres casarte conmigo?", le preguntó el príncipe a Rapunzel. "Eso me haría la mujer más feliz del mundo", respondió ella. Rapunzel y el príncipe encontraron el camino de regreso al reino. Allí se casaron y fueron felices para siempre.

Pinocho

Un hombre llamado Gepeto hizo un día una marioneta de madera que parecía un niño. Cuando la marioneta empezó a caminar y a hablar, Gepeto decidió ponerle el nombre de Pinocho. Luego, quiso mandarlo a la escuela.

De camino a la escuela, Pinocho resolvió vender sus libros para comprar una entrada a la función de marionetas.

"¿ le dieron permiso de vender estos libros?", le
preguntó el librero. Al responder que sí, la nariz
de Pinocho le creció.

Giovanni, el titiritero, era un hombre muy cruel que quería utilizar a Pinocho como leña. Asustado, Pinocho empezó a llorar y le contó la historia de su padre, Gepeto. Giovanni lo dejó ir y le dio cinco monedas de oro.

En el camino de regreso a casa, Pinocho se encontró con un gato y un zorro. Sus dos nuevos amigos le dijeron: "Conocemos un lugar mágico donde puedes sembrar tus monedas y al otro día encuentras un árbol de monedas".

Cuando Pinocho dijo que no llevaba dinero, la nariz le volvió a crecer. Finalmente, sembró las monedas y se fue. Más tarde, cuando regresó al lugar, las monedas ya no estaban. El gato y el zorro se las habían robado.

Pinocho volvió a su casa y desde ese día siguió yendo a la escuela sin faltar. Un día, un compañero le susurró al oído: "Esta noche voy al país de los juguetes con otros chicos. Si quieres ir, te esperamos a la media noche".

A las doce de la noche, Pinocho escapó de su casa para encontrarse con sus amigos. Un montón de muchachos gritaban felices en un vagón:

"¡Vamos al país de los juguetes!" Pinocho dudó un instante, pero luego se subió con los demás.

El país de los juguetes era más maravilloso de lo que se habían imaginado. Ese día, jugaron sin parar. Sin embargo, al día siguiente, Pinocho se despertó con una sensación extraña en la cabeza. Al verse en un espejo, ¡descubrió que le habían salido orejas de burro!

Para escapar del país de los juguetes, Pinocho tuvo que lanzarse al mar. ¡Allí, una ballena gigantesca se lo tragó! El estómago de la ballena era tan grande que parecía una cueva. Adentro, se hallaba muchas de las cosas que había engullido.

De repente, Pinocho vio que había otra persona en la ballena. ¡Era Gepeto, que había estado buscando a Pinocho por todas partes! Como Gepeto no sabía nadar, Pinocho lo ayudó a salir del estómago de la ballena.

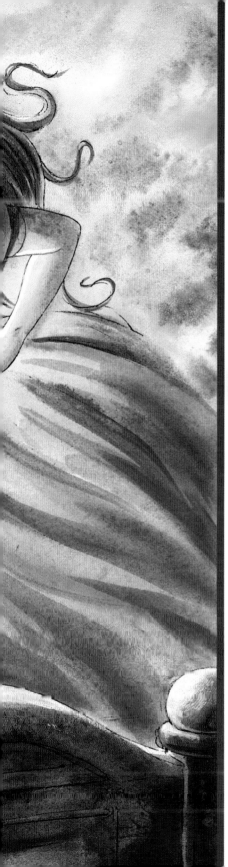

La noche siguiente, Pinocho soñó con el hada azul. "Tu generosidad será premiada", le dijo el hada azul. "Como tú siempre has querido ser un niño de verdad, te voy a conceder ese deseo".

Pinocho se despertó muy emocionado la mañana siguiente y fue a mirarse en el espejo. Era un niño de verdad, con el pelo castaño y los ojos azules. La nariz estaba bien. Desde entonces, Gepeto y Pinocho vivieron felices para siempre.

ALADINO
y la lámpara maravillosa

Hace muchísimos años vivía en Arabia una pobre viuda con su hijo, llamado Aladino. Un día, un desconocido le ofreció a Aladino una moneda de plata a cambio de un favor muy sencillo.

El desconocido, que en realidad era un hechicero, llevó a Aladino a una cueva. "La entrada de la cueva es muy pequeña y yo no quepo", dijo el hombre.

"Busca una lámpara vieja que hay en la cueva y tráemela".

Además de la lámpara vieja, había en la cueva una gran cantidad de tesoros.

"¡Dame la lámpara!", gritó el hechicero. "Está bien", dijo Aladino, "pero primero déjame salir". Al empujar a Aladino, el hechicero perdió su anillo.

Furioso, el hechicero encerró a Aladino en la cueva. El muchacho se puso el anillo en el dedo y al instante apareció un genio. "Soy el genio del anillo. ¿Qué deseas?" Aladino respondió: "Quiero volver a mi casa".
Y se cumplió su deseo.

Aladino todavía tenía la lámpara en las manos. Con un trapo, frotó la lámpara para limpiarla y apareció un segundo genio: "Soy el genio de la lámpara. ¿Qué deseas?" Aladino dijo tímidamente: "Comida". Y su deseo se volvió realidad.

Aladino y su madre nunca volvieron a pasar hambre. Cierto día, Aladino vio a la hija del sultán y se enamoró de ella. La madre de Aladino le dio al sultán una caja llena de joyas para convencerlo de dejar casar a ambos muchachos.

El sultán le exigió a Aladino, como prueba de su riqueza, cuarenta caballos cargados con cuarenta baúles de joyas.

Aladino le pidió ayuda al genio una vez más.

Él, sonriente, le concedió su deseo.

Halima, la hija del sultán, y Aladino, se casaron. Estaban enamorados y vivían felices. Por desgracia, el hechicero llegó un día al palacio disfrazado de mercader. Halima, sin saber que la vieja lámpara era mágica, se la vendió.

De inmediato, el hechicero hizo
salir al genio y le ordenó llevarse el
castillo con la princesa a unas tierras
lejanas. "Ahora serás mi esposa", dijo
el hechicero con una sonrisa malévola.
Halima lloraba desconsolada.

Al ver que su esposa había desaparecido, Aladino recordó el anillo del hechicero. Rápidamente, se puso el anillo y el genio salió de inmediato. "Gran genio, llévame a donde está mi esposa". Y Aladino apareció en el palacio.

Los poderes del genio de la lámpara eran mucho mayores que los del genio del anillo. Aladino debía esperar a que el hechicero se quedara dormido para quitarle la lámpara. Con la ayuda de Halima, lograron su objetivo.

Aladino frotó la lámpara. "Estoy muy contento de ver otra vez a mi legítimo amo. ¿Quieres volver a tu país?", dijo el genio.

"Claro", respondió Aladino. Como por arte de magia, el palacio flotó por los aires y regresó al reino del sultán.

Fin